Weg met die krokodil!

Boeken van Paul van Loon

✓ Getipt door de Nederlandse
   Kinderjury.
♛ Bekroond door de
   Nederlandse Kinderjury.

Paul van Loon

Weg met die krokodil!

met tekeningen van
Georgien Overwater

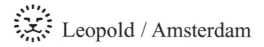
Leopold / Amsterdam

Voor Manisha, die dol is op draken,
dinosaurussen en krokodillen

avi 8

Vijftiende druk 2006
© 1993 tekst: Paul van Loon
Omslag en illustraties: Georgien Overwater
Uitgeverij Leopold, Amsterdam
ISBN 90 258 496 X / NUR 282

Inhoud

1. Bofkont

Hoera, ik ben jarig, dacht Bregje.
Dat had ze al gedacht voordat ze haar ogen
opendeed.
Vlug mijn kleren aan en naar beneden.
Oh, ik hoop zo dat ik een hond krijg, 't liefst
een sint-bernard. Of een langharige poes. Of
een konijn.
Toen zag ze dat er iets op haar nachtkastje
stond.
Het was een glazen kom. Een viskom. Er zwom
een miezerige goudvis in. Hij was ongeveer net
zo lang en net zo dun als Bregjes pink.
Het allerergste was, dat om de kom een rood
lint gebonden was. Aan het lint zat een kaartje.
Daarop stond:

> *Hartelijk gefeliciteerd met je verjaardag.*
> *Van je lieve ouders*

Een goudvis!
Bregje kon het nauwelijks geloven.
Ze had beslist geen goudvis op haar lijstje
gezet. Ze wilde een dier dat je kon aaien en
knuffelen. Dat lekker bij je op bed kwam
liggen.
Een goudvis was koud en glad en hij had geen
lekker zacht vachtje.

Een goudvis kon je geen kusje op zijn snuit
geven.
Je stak toch niet je hoofd in de kom, om met je
lippen onder water een vissenmond te zoenen?
Als je niet oppaste, zwom hij zo je mond
binnen.
Wat... stom van ze!
Bregje begreep er niets van.
Ergens diep binnen in haar begon iets te koken
en te borrelen. Het was een gevoel dat ze bijna
nooit had.
Bregje keek glazig naar de kom, waarin de
goudvis stom rondjes zwom.
En wat moest ze nu tegen haar vriendinnen
zeggen?
Mijn ouders hebben per ongeluk een goudvis
gekocht in plaats van een sint-bernard!?
Maar de goudvis kon er ook niets aan doen.

Hij was nu van Bregje, dus ze moest ervoor
zorgen.
Ze kleedde zich aan en nam de viskom mee
naar beneden.
Onder aan de trap stonden haar ouders.

De woonkamer was versierd met één slinger.
'Ha, daar is de jarige. Proficiat meid. Nu ben
je zeker wel blij, hè.'
Bregjes vader klopte haar op de schouder.
Bregjes moeder gaf haar voorzichtig een kusje
op haar voorhoofd.
'Leuk toch, zo'n goudvisje. Net iets voor jou,

dachten wij. Veel leuker dan zo'n vies beest vol
haren en vlooien.'
Bregje keek haar ouders alleen maar zwijgend
aan.
Allebei trokken ze hun jas aan.
Waarom kreeg ze eigenlijk geen dikke kus?
Ouders kusten en omhelsden hun kinderen toch
meestal.
Vooral als ze jarig waren!
Haar moeder gaf haar hoogstens driemaal per
jaar zo'n slap kusje, en haar vader klopte haar
alleen maar op haar schouder.
Alsof ik een goede klant ben die zojuist weer
een paar afgekeurde schoenen gekocht heeft,
dacht Bregje.
Ze schrok van haar gedachten.
Nog nooit van haar leven had ze over die
dingen nagedacht.
'Perfect huisdier, zo'n visje,' grijnsde haar
vader.
'Visvoer kost haast niets. Als hij ziek of oud is,
spoelen we hem door de wc. Geen omkijken
naar.'
Bregje keek naar het gezicht van haar vader.
Hij had een pafferig gezicht, met bolle ogen.
Gek dat haar dat nooit was opgevallen.
Hij zag er dom uit.
Eigenlijk leek hij een beetje op…
'Precies, een goudvis is een ideaal huisdier,' zei

Bregjes moeder stralend.
'Het huis stinkt niet, geen smerig blikvoer en
geen vieze haren.'

Bregje zei nog steeds niets.
Het viel haar nu pas op dat haar moeder zo'n
rare knopneus had.
En eigenlijk was ze veel te zwaar opgemaakt.
Haar gezicht leek wel een masker van make-up,
waar barstjes in kwamen als ze lachte.
En ze droeg kleren die veel te strak zaten.
Gek dat ik dat nooit eerder gezien heb, dacht
Bregje.
Zou dat komen doordat ik nu acht ben?
Of kwam het door hem?
Ze keek naar de scharminkelige goudvis in de
kom.
'Zo, nu moet ik weer naar de winkel,' zei haar
vader.
'Geld verdienen. Kijken of er weer sloebers zijn

die ik mijn voordelig geprijsde afgekeurde
schoenen kan aansmeren.'
'Ik ga met je mee, schat,' zei Bregjes moeder.
'Er is een grote uitverkoop bij Siepers. Die mag
ik niet missen. Allemaal leuke koopjes, haast
voor niets.'
Bregje stond midden in de kamer met de
viskom in haar handen.
Ze had nog steeds geen stom woord gezegd.
Haar vader trok de voordeur open.
'Bofkont,' riep hij.
'Jij kunt lekker de hele dag jarig zijn. Maar wij
moeten ons weer gaan uitsloven. Alle kinderen
zouden wel zulke ouders willen.'

'Zorg jij even voor oma, Bregje?' riep moeder
vanuit de hal.
Bam! De deur viel in het slot.
Bregje deed haar ogen dicht en schudde haar
hoofd.
Misschien droom ik wel, dacht ze.
Dan wil ik nu wakker worden.
Toen ze haar ogen opende stond ze nog steeds
in de kamer met een goudvis in een kom.
Dus het was geen droom.

2. Geen zorgen

Oma zat in haar schommelstoel te slapen bij de vensterbank.
Al zolang als Bregje zich kon herinneren, woonde oma bij hen.
Meestal zat ze stil en onopvallend in haar schommelstoel.
Soms keek ze stiekem televisie, als Bregjes ouders er niet waren. Cowboyfilms en ridderfilms, daar was ze dol op.
Ze sliep beneden, want ze kon de trap niet op.
Oma had zilvergrijs haar, rimpels en ze had geen tanden meer in haar mond.
Bregje vond haar lief.
Zachtjes liep Bregje naar de schommelstoel en legde haar hand op oma's arm.
Oma opende haar ogen en glimlachte.
'Dag oma,' zei Bregje. 'Kijk eens wat ze mij gegeven hebben.'
Ze hield de viskom omhoog, vlak voor oma's gezicht.
'Eigenlijk wilde ik graag een hond of een poesje, of een konijn, oma. Het stond allemaal heel duidelijk op mijn lijstje.'
Oma keek naar de goudvis. Ze knikte.
'Het verbaast me niks, meisje. Ze houden niet van dieren. Ik wed dat ze over een poosje zelfs die goudvis weer kwijt willen. Net als mij. Elke

week komen ze aan met een nieuwe folder van
een of ander rusthuis voor bejaarden.'
Bregje zette de viskom op de vensterbank. Ze
keek oma bezorgd aan.
'Maar u laat u toch niet wegsturen, hè oma?'
Oma glimlachte weer. Ze zette een onzichtbare
cowboyhoed op haar hoofd en deed of ze
kauwgom kauwde.
'Geen zorgen, makker. Pistolen Nellie is een
ouwe taaie. Mij krijgen ze zomaar niet weg.'
Bregje schudde van het lachen.
Ze vergat zelfs even de goudvis.

3. Hartelijk gefeliciteerd

Om elf uur was Bregje klaar met afwassen en
opruimen van de rommel van de vorige avond,
vuile asbakken en legen zakken chips.
Die lieten haar ouders altijd voor Bregje
staan.
De voordeurbel rinkelde.
Bezoek? dacht Bregje. Dat zal wel niet.
Ik mag toch geen feest geven. Te veel
rommel, vindt mama.
Of zou mama haar sleutel vergeten zijn?
Nee, dat kan niet, want het is veel te vroeg.
Meestal is ze pas tegen vijf uur terug, als ze
gaat winkelen.
Nieuwsgierig liep ze naar de voordeur.
Het was de postbode.
Bregje had hem nog nooit gezien. Zeker een
invaller.
Het was een oude man met wit haar en vrolijk
glinsterende ogen. Hij had een stapel
enveloppen bij zich en een pakje voor Bregje.
Nieuwsgierig keek de postbode naar de ene
slinger in de kamer.
'Hallo, is er vandaag iemand jarig?' zei hij.
'Ja, ik.'
'Kijk eens aan. Hartelijk gefeliciteerd, meisje.'
Hij boog zich voorover en gaf Bregje zomaar
een kus op haar wang.

'En heb je gekregen wat je graag wilde hebben?'

Bregje boog haar hoofd en keek naar haar voeten.

'Eigenlijk niet, meneer.'

Plotseling voelde ze zich heel erg bedroefd, juist doordat de postbode zo aardig deed.

'Och,' zei de postbode en hij aaide Bregje over haar hoofd. 'Misschien heb je het niet hard genoeg gewenst.'

'Maar ik wilde echt heel graag een lief huisdier,' zei Bregje.

En dat heb je niet gekregen?'

'Nee. Nou ja, niet echt. Alleen een goudvis.'

'Aha!' zei de postbode en hij stak een vinger omhoog.

'Dat bedoel ik nou: je wens is bijna uitgekomen, maar niet helemaal. Je hebt niet hard genoeg gewenst.'

Hij zette zijn tas neer en ging op zijn hurken voor Bregje zitten.

'Als je iets heel graag wenst, meiske, liever dan wat ook op de wereld, moet je het WILLEN. Met heel je hart en ziel moet je het willen. Met huid en haar, met handen en voeten. Met al je vingers en tenen, met nagels en tanden. Je moet het zo sterk willen, dat je bijna barst. En dan zul je zien dat het ook gebeurt.'

'Echt waar?' giechelde Bregje.

'Echt waar, lieverd!'
De postbode knipoogde en kneep Bregje in haar wang.
Hij hees zijn tas op zijn schouder en ging staan.
'Ik ga weer verder. Kijk maar eens wat er in je pakje zit. Misschien een leuk cadeautje voor jou.'
Hij zwaaide en liep de deur uit.
Wat een lieve, vrolijke postbode, dacht Bregje.
Ze haalde een schaar uit de keuken en ritste het papier open.
Er zat een doos in.
Op de doos was een brief geplakt en toen Bregje de doos openmaakte, zag ze een heleboel stro.
In dat stro lag een ei.

Wat is dat? dacht Bregje. Waarom krijg ik een ei?

Toen ze de brief gelezen had, begreep ze het.

Maanden geleden had ze meegedaan aan een tekenwedstrijd. Die had iets te maken met bedreigde diersoorten.

Bregje had een prachtige, felgroene krokodil getekend.

Omdat ze krokodillen zulke lieve beesten vond, had ze tegen de meester gezegd.

Iedereen in de klas had haar uitgelachen.

Maar nu had Bregje toch maar een prijs gewonnen met haar tekening. De negende, een echt krokodillenei. Geschonken door de dierentuin. Dat stond in de brief.

Het ei was niet uitgebroed door de moeder.

Daarom kreeg Bregje het nu, als aandenken.

Voorzichtig pakte ze het ei op.

Het zag er niet anders uit dan de gewone eieren die je in de supermarkt kocht.

Maar Bregje was er toch blij mee.

Een echt krokodillenei was in elk geval iets wat bijna niemand had.

Voorzichtig zette ze de doos op de schoorsteenmantel. Ze haalde het ei eruit.

'Oma, ik heb een prijs gewonnen met een tekenwedstrijd,' zei ze.

'Kijk, een echt krokodillenei. Nou ja, eigenlijk is het een afgekeurd ei.'

Oma keek er peinzend naar.
'Jammer. Stel je voor dat daar een echte
krokodil uit kwam! Wat zouden ze dan
zeggen?!'
'Weg met die krokodil,' zei Bregje en ze
giechelden samen.

4. Even kijken

Bregje maakte ranja voor oma en zichzelf.
Ze gingen samen op de bank zitten voor de
televisie.
Ze aten dropjes en legden hun benen op het
tafeltje.
Zo was het toch nog een beetje feest.

Er was een film over ridders die een kasteel
verdedigden.
Ze gooiden vanaf de toren kokende olie uit
grote potten over de vijand.
Oma vond het prachtig.
'Dat zou ik ook wel eens willen,' zei ze.
'Lekker riddertje spelen.'

's Middags werd er opnieuw aangebeld.
Bregjes moeder was nog steeds niet thuis van
het winkelen.

Voor de deur stond een meisje met halflang, blond haar. Ze heette Leona en ze had een supergrote Deense dog bij zich.

Leona zat bij Bregje in de klas.

'Hoi, je bent vandaag toch jarig?' zei ze.

'Ik kom even kijken naar je nieuwe huisdier.'

Ze aaide de Deense dog over zijn kop.

'Ik dacht, ik neem Dolf maar mee,' zei Leona.

'Kan hij lekker ravotten met jouw... huisdier.'

Dolf stond achter haar te hijgen. Hij was groot en wit met zwarte stippen. Zijn kop kwam bijna boven Leona's schouder uit.

'En? Wat voor een dier is het? Een hond?'

Bregje schudde haar hoofd.

'Een poes?'

'Nee.'

'Zelfs geen konijn? Of een hamster?'

Bregje kreeg pijn in haar nek van het nee-schudden.

'Wat dan? Een muis?' zei Leona met een ongelovig gezicht.

Bregje werd knalrood. 'Een goudvis.'

Leona keek haar met een scheve grijns aan en barstte keihard in lachen uit. 'Een goudvis! Noem je dat een huisdier?'

Voor Bregje kon antwoorden, daverde Dolf langs haar de gang in.

'Ho Dolf, hier! Blijven!' riep Leona.

'Hij is altijd zo speels.'

Bregje zuchtte.
In de woonkamer klonken geluiden van dingen
die omvielen.
'Als hij oma maar met rust laat!'
'Ben je gek. Dolf doet geen vlieg kwaad.'
'Aaah!' gilde oma opeens.
Verschrikt holde Bregje naar de woonkamer.
Dolf lag onder de vensterbank. Hij likte met
smakkende geluiden zijn lippen af.
Even dacht Bregje dat hij oma gebeten had,
maar oma wees naar de viskom.
In de kom zat nog maar een bodempje water.

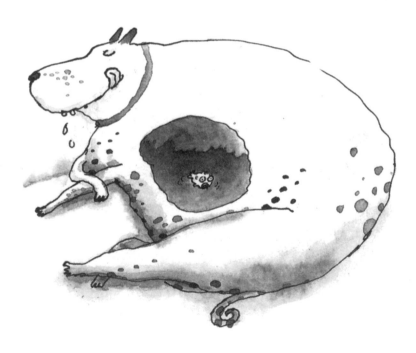

Dolf had dorst gekregen en de viskom
leeggeslobberd.
Ook de goudvis was verdwenen.
'Dolf! Hier!' riep Leona.
Ze keek Bregje aan en haalde haar schouders
op.
'Het was géén vlieg!'

5. Dat wil ik

Als ik geweten had dat het zo afschuwelijk is
om acht jaar te worden, was ik gewoon zeven
gebleven, dacht Bregje.
Ze lag in bed en kon niet in slaap komen.
Binnen in haar kookte en borrelde nog steeds
dat vreemde gevoel. Alsof er een wervelstorm
rondraasde.
Haar hoofd zat vol donkere gedachten.
Een beetje treurig dacht Bregje aan de goudvis.
Hij had niet eens een naam gehad.
Ze had ook niet van hem gehouden.
Om de een of andere reden moest ze telkens
aan de aardige oude postbode denken.
Ze zag zijn gezicht voor zich en hoorde zijn
stem.
'Als je iets heel graag wenst, liever dan wat ook
op de wereld, moet je het echt WILLEN!'
De woorden bleven telkens terugkomen.
Bregje keek opzij.
Daar lag het krokodillenei, naast haar op het
kussen.
Het was het enige wat Bregje aan deze dag had
overgehouden.
Stel je voor dat er een echte krokodil uit kwam,
had oma gezegd.
En opeens wist Bregje heel zeker wat ze wilde:
een lief klein babykrokodilletje.

Ze wilde het met hart en ziel, met huid en haar,
met handen en voeten, met vingers en tenen,
met haren en tanden.
Ze wilde het zo verschrikkelijk, dat het leek of
ze uit elkaar zou barsten.
Dat gevoel had ze nog steeds toen ze in slaap
viel.

Heel vroeg in de ochtend werd Bregje wakker
van een krakend geluid.
Nu barst ik echt! was het eerste wat ze dacht.
Toen hoorde ze het krakende geluid opnieuw.
Ze keek opzij.
Naast haar op het kussen lag een lief klein
krokodilletje tussen de gebroken resten van de
eierschaal.

Bregje was een moment sprakeloos van geluk.
Ze begreep dat er iets buitengewoons was
gebeurd.
Zij had een krokodillenei uitgebroed met haar
wil!
Hoe dat mogelijk was, vroeg ze zich niet af.
De postbode had gelijk gehad. Het was gewoon
een kwestie van keihard willen.
Het krokodilletje bewoog zijn kopje hulpeloos
heen en weer.
Hij maakte een kwakend geluidje.
'Kom maar hier, kleine schat,' zei Bregje.
Ze strekte haar armen uit, tilde het krokodilletje
op en drukte hem voorzichtig tegen haar wang.
'Ik zal je meteen een naam geven,' fluisterde
ze.
'Gilbert, is dat geen mooie naam?'
Toen pas dacht Bregje: en mijn ouders?
Die houden natuurlijk niet van krokodillen.
Maar ik wil Gilbert houden. Dat WIL ik!

6. Net iets voor jou

Bregje pakte een dik boek uit haar kast.
Dierenencyclopedie stond erop.
Bregje haalde meestal boeken over dieren in de
bieb.
Vlug zocht ze het hoofdstuk over krokodillen
op.
Aandachtig begon ze te lezen, terwijl Gilbert
over haar bed kroop.

'Aha,' zei Bregje, 'aha, aha. Voedsel is geen
probleem, zie ik.'
Ze klapte het boek dicht.
'Voorlopig weet ik genoeg, Gilbert. Kom mee
naar beneden.'

Het was zondag. Dat betekende dat Bregjes
vader niet naar zijn winkel hoefde.

Bregjes moeder kon vandaag ook niet gaan
winkelen.
Ze waren allebei thuis.
Toen Bregje de woonkamer in liep, stond haar
moeder voor de spiegel.
Ze was hoeden aan het passen, die ze bij
Siepers in de uitverkoop gekocht had.
Er stonden zeven dozen naast haar.
Bregjes vader zat op zijn hurken naast de
schommelstoel van oma.
Hij hield een kleurige folder voor haar neus.
De folder was afkomstig van Huize
Zonsondergang, een rusthuis voor bejaarden.
Oma schommelde zachtjes heen en weer.
Vader glimlachte.
Dezelfde glimlach als wanneer hij iemand een
paar afgekeurde schoenen wilde aansmeren.
'Kijk eens, oudje. Is dit niks voor jou? Kijk
eens naar die prachtige foto's. Zie je dat?'
Hij sprak heel luid, zoals je praat tegen iemand
die slecht hoort.
Langzaam sloeg hij de bladzijden van de folder
om.
'Lieve verpleegsters die je elke dag in badje
doen. Een tuin met een prachtige vijver. En hier
staat dat er elke avond bejaardendisco is.
Net iets voor jou, nietwaar!'
Oma hield op met schommelen.
Ze keek Bregjes vader aan, glimlachte en

spuugde op de prachtige kleurenfolder.
Bregjes vader liep rood aan.
Hij zag er uit alsof hij elk moment met een
geweldige knal uit elkaar kon ploffen.

7. Wacht maar

'Papa...' zei Bregje.
'Wel verdraaid, dat mens wil niet luisteren,' zei
haar vader.
Vanuit de schommelstoel lachte oma hem
vriendelijk toe.

'Papa, luister eens...' zei Bregje.
'Natuurlijk luistert ze niet,' zei Bregjes moeder.
'Je weet toch dat ze zo doof is als een pier.'
Bregjes vader wond zich steeds heviger op.
'Papa, ik heb iets...' zei Bregje.
'Kijk dan hoe ze lacht,' riep haar vader.
'Volgens mij doet die ouwe krokodil alleen
maar of ze doof is.'
Bregjes moeder giechelde.
'Schat, je weet toch dat ze al jaren stokdoof is.
Ze hoort echt niks. En ze lijkt ook niet op een
krokodil. Ze heeft niet eens tanden.'

'Oh nee?' gromde Bregjes vader.
'Volgens mij zou ze zich in een dierentuin best thuis voelen.'
Bregje liep iets verder de kamer in, met Gilbert veilig onder haar pyjamajas.
'Papa, ik heb een prijs gewonnen,' zei ze zacht.
Haar vader keek om.
'Wat zeg je? Een prijs? In de loterij? Hoeveel?'
Bregje schudde haar hoofd.
'Met een tekenwedstrijd. Het is een ei. Mag ik het houden?'
Bregjes vader zuchtte en ging in een stoel liggen.
'Een ei! Is dat alles? Hou jij het maar, hoor. Ik hoef het niet.'
Bregje voelde Gilberts pootjes kriebelen op haar buik.
Ze slikte eens.
Nu kwam de belangrijkste vraag.
Ik wil hem houden, dacht ze. Ik WIL het!
'Papa, als er iets uit het ei komt, mag ik het dan ook houden?'

Haar vader stak een sigaret op en haalde zijn
schouders op.
Met een boos gezicht blies hij een rookwolk
naar oma.
'Wat kan er nou uit dat ei komen?'
Bregje haalde Gilbert te voorschijn.
'Er is al iets uit gekomen, papa. Kijk!'
Haar vader zette grote ogen op en hij verslikte
zich in de rook van zijn sigaret.
'Een hagedis!' zei hij.
Nee, het is een krokodil, zei Bregje bijna.
Maar ze hield net op tijd haar mond.
'Hij eet alleen maar slakken en krekels en
larven,' zei Bregje.
'Dat kost niks, want die kan ik zelf vangen bij
de sloot.'
Bregjes moeder vergat even haar hoeden, toen
ze Gilbert zag.
Ze trok een vies gezicht.
'Wat is dat voor een beest?'
'Een hagedis,' zei Bregjes vader opnieuw.
Bregje hield Gilbert omhoog voor haar moeders
gezicht.
'Kijk, hij heeft helemaal geen haren, mama.
Hij kan in de viskom. Net als de goudvis.
Mag ik hem alstublieft houden?
Hij is mijn prijs, ik heb hem gewonnen.'
Bregjes moeder trok een wenkbrauw op en ging
een beetje naar achteren.

'Nou ik weet het niet…'

Bregje trok haar zieligste gezicht.

'Mijn goudvis is al dood. Ik heb alleen een lege kom.'

Ik WIL het. Ik WIL het, dacht ze.

Bregjes moeder keek vader aan.

Hij haalde zijn schouders op.

'Vooruit dan, anders blijf je toch maar zeuren. Maar dat… ding blijft op jouw kamer. Ik heb een hekel aan slijmerige reptielen in de woonkamer.'

Terwijl hij dit zei, keek hij met een boze blik naar oma.

Oma glimlachte naar hem en schommelde zachtjes heen en weer.

Bregje kon wel gillen van blijdschap.

Maar dat deed ze niet.

Ze vulde de viskom met water en liet Gilbert erin plonzen.

Oma knipoogde naar haar en stak stiekem haar duim omhoog.

Toen nam Bregje de kom snel mee naar boven.

'Hi, hi, hoorde je dat, Gilbert?' zei ze.

'Ze denken dat jij een hagedis bent. Ze zijn echt dom! Wacht maar, tot jij groot bent. Dan zullen ze opkijken.'

8. In bad

Vanaf toen woonde Gilbert op Bregjes kamer.
Bregjes ouders dachten al niet meer aan hem.
Zij kwamen nooit op haar kamer.
Bregje verschoonde altijd haar eigen bed en
stofzuigen deed ze ook.
Eén keer nam ze Gilbert stiekem mee naar
beneden, voor oma.
'Wat een schatje,' zei oma. 'Hoe heb je dat toch
geflikt?'
'Ik wilde het gewoon,' zei Bregje. 'En toen
kwam hij uit het ei.'
'Machtig!' zei oma. 'Maar je moet oppassen dat
ze hem op een dag niet door de wc spoelen.
Dat doen ze gerust, hoor.'
'Niet als hij heel groot wordt,' zei Bregje.
'Dan durven ze vast niets te doen.'
'Da's waar,' zei oma. 'Goed idee. Zorg maar dat
hij héél groot wordt.'

12 cm

Toen hij uit het ei kwam, was Gilbert twaalf
centimeter lang.
Bregje zette hem elke dag op haar liniaal.
Na drie weken was hij nog geen millimeter
langer.
Bregje pakte de dierenencyclopedie weer uit de
kast.
'Eens kijken hoe lang het duurt voor jij groot

35

bent, Gilbert,' zei Bregje.

Gilbert kroop over haar schouder.

Hij duwde met zijn kopje tegen haar kin.

Bregje giechelde en gaf Gilbert een kusje op zijn bek.

Ze bladerde door het boek en begon te lezen.

'Tjonge, Gilbert,' zei ze na een poosje. 'Jij groeit veel te langzaam. Over een jaar ben je nog niet langer dan mijn liniaal. Pas over twaalf jaar ben je volwassen, dan ben je wel zeven meter lang.'

Ze klapte het boek dicht.

'Dat duurt te lang, Gilbert. Ik WIL dat je harder groeit. Begrijp je me? GROEI HARDER!'

'Je ziet er uitgedroogd uit, Gilbert,' zei Bregje toen ze een paar dagen later uit school kwam.

'Ik zal eens een lekker bad voor je maken.'

Ze liet het bad vollopen en deed er badschuim in.

Gilbert plonsde meteen in het water.

Hij was nu al een halve meter lang. Hij groeide als een gek.

Hij verdween helemaal onder het schuim.

Alleen zijn ogen kwamen erbovenuit.

Bregje pakte de badspons.

Gilbert vond het fijn, als ze hem helemaal afsponsde.

Maar net toen Bregje wilde beginnen, hoorde ze de voordeur.

Haar moeder kwam thuis.

Hoe kan dat nu? dacht Bregje verschrikt.

De winkels zijn toch nog niet dicht?

Mama is anders nooit zo vroeg thuis.

Maar mama's voetstappen klonken al op de trap.

'Duiken, Gilbert,' siste Bregje.

'Oh, mijn voeten,' kreunde mama op de overloop.

'Die rotroltrappen bij Siepers deden het niet.'

Ze duwde de deur van de badkamer open en zag Bregje bij de badkuip staan.

'Ah, een warm bad, dat is net wat ik nodig heb na al dat gesjouw. Ga eens opzij, kind.'

Voor Bregje iets kon zeggen, begon haar moeder zich uit te kleden.

Het ene na het andere kledingstuk viel op de grond.

Bregjes mond zakte open.

Nog nooit had Bregje haar moeder in d'r blootje gezien.

Zonder kleren was ze veel dikker dan mét.

'Vouw mijn kleren even op, wil je?'

Toen stapte moeder in bad en ging liggen.

'Gilbert!' piepte Bregje.

'Sta niet zo te gapen,' zei haar moeder.

'Pak even een handdoek voor mij.'

Bregje keek naar het water.

Van Gilbert was niets te zien.

Haar moeder vulde de hele badkuip en het
schuim was tot aan de rand gestegen.
'Nou, waar wacht je op?'
Bregje keek nog een keer naar het bad.
Toen liep ze naar de kast op de overloop.
Ze pakte een dikke handdoek uit de kast.
Op dat moment gilde moeder luidkeels in de
badkamer.

9. Niet plat

Oh, ze heeft Gilbert ontdekt, dacht Bregje.
Ze rende terug naar de badkamer.
Moeder zat kreunend in het bad.
Met twee handen hield ze haar voet vast.
Haar rode teen was rood en dik.
'Wat is er, mama?' zei Bregje angstig.
'Ik heb mijn teen gestoten tegen de kraan,'
kreunde haar moeder.
'Ooo, wat doet dat zeer!'
Bregje kon haar oren niet geloven.
Mama zei helemaal niets over Gilbert.
'Wat sta je daar nou?' zei haar moeder.
'Help me eruit. Dat bad zit ook al niet lekker
vandaag. Net of er boomschors op de bodem
ligt.'
Bregje hielp haar moeder uit het bad.
Op haar billen zag ze een afdruk van Gilberts
kop en poten.
O, arme Gilbert, dacht Bregje.
'Vreemd hoor,' zei haar moeder.
Ze sloeg de handdoek om zich heen en keek
naar het badwater.
Het schuim was al dunner geworden en op de
bodem zag je een donkere vlek.
'Ik laat het bad wel leeglopen, mama,' zei
Bregje. 'Ga maar gauw op bed liggen.'
'Dat zal ik maar doen,' zei haar moeder.

'Ik geloof dat ik ook hoofdpijn heb, want ik zie allemaal donkere vlekken.'

Hinkend liep ze de badkamer uit.

Zodra ze weg was, trok Bregje de stop uit het bad,

Gorgelend liep het water weg.

Op de bodem van de kuip lag Gilbert.

Hij was behoorlijk geplet en hij keek nogal benauwd uit zijn ogen.

'Gilbert, leef je nog?' vroeg Bregje ongerust.

Ze tilde de krokodil uit het bad en wikkelde hem in een handdoek.

Nog een beetje versuft keek Gilbert Bregje aan, maar toen grijnsde hij weer als een echte krokodil.

Alsof hij wilde zeggen: mij krijgen ze zomaar niet plat.

10. Pas maar op!

Op een dag stootte Leona Bregje aan in de klas.
'Hoe zit het?' vroeg ze.
'Hoe zit wat?' zei Bregje.
Ze sprak niet veel meer met Leona sinds haar
verjaardag.
'Nou, heb je al een huisdier? Ik bedoel… een
echt huisdier?'
Bregje keek Leona aan.
Het was net of er spotlichtjes in haar ogen
blonken.
Bregje voelde iets borrelen in haar binnenste.

'Jazeker,' zei ze. 'Een heel bijzonder huisdier.'
'Toch niet weer een goudvis!' giechelde Leona.
Bregje keek haar met een ijskoude blik aan.
'Kom zelf maar kijken, vanavond. En neem
Dolf weer gezellig mee!'

Toen Bregje thuiskwam, was haar vader er ook.
Hij had iemand bij zich.
Het was een grote, potige vrouw in een wit
uniform.
Ze stonden samen bij oma.
'Kijk eens, oma,' schreeuwde vader in oma's
oor.
'Dit is een verpleegster van Huize
Zonsondergang. Ze wil graag met jou
kennismaken. Je zult haar vast heel aardig
vinden.'
De verpleegster glimlachte tegen oma en keek
vader vragend aan.
'Is mevrouw doof?'
'Als een koffiepot,' antwoordde vader.
'Oh, lastig,' zei de verpleegster. 'Die dove
oudjes luisteren vaak niet goed.'
Oma kneep één oog dicht en bekeek de
verpleegster eens goed.
Langzaam kwam ze overeind uit haar
schommelstoel.
Ze tikte met haar vinger tegen de rand van een
onzichtbare cowboyhoed.
Bregje schoot in de lach.
Pas maar op, verpleegster, dacht ze.
Toen pakte oma de grootste bloempot van de
vensterbank en liet die op de tenen van de
verpleegster vallen.
De vrouw brulde als een sirene en vader greep

met zijn handen naar zijn hoofd.

Oma ging weer rustig in haar schommelstoel zitten.

'Het spijt me,' zei Bregjes vader met een rood hoofd.

'Maar ziet u, ze is een beetje g...'

De verpleegster maaide hem omver en liep met donderende stappen naar de deur.

'U begrijpt zeker wel, dat wij zulke mensen niet willen,' brieste ze.

De ramen rinkelden, toen ze de deur dichttrok.

Bregje probeerde niet te lachen.

Goed zo, oma, dacht ze.

Oma keek schuin naar haar en knipoogde.

Giechelend liep Bregje de trap op.

Pistolen Nellie slaat weer toe, dacht ze.

Toch was ze een beetje bezorgd om oma.

Peinzend ging ze op haar bed zitten, terwijl Gilbert te voorschijn kwam.

Van neus tot staart was hij nu al anderhalve meter lang.

Niet gek voor een krokodil van twee maanden oud.

'Luister eens, Gilbert,' zei Bregje.

'Ze mogen oma niet het huis uitzetten. Dat laten wij niet toe. Blijf maar lekker groeien!'

11. Een hagedis

Om half zeven stond Leona voor de deur.
Dolf stond achter haar te hijgen met zijn tong
uit zijn bek.

Misschien denkt hij dat hij weer een lekkere
goudvis krijgt, dacht Bregje.
Dat zal hem vies tegenvallen.
'Kom maar meteen mee naar mijn kamer,' zei
ze.
'Het is beter dat mijn ouders Dolf niet zien. Ze
houden niet van harige dieren.'
'Oh nee?' zei Leona.
'Wat heb jij dan voor een dier? Een kale kikker
misschien?'
Bregje liep voor haar uit de trap op.
'Wacht maar af.'

Op dat moment kwam Bregjes moeder uit de woonkamer.

Vol afgrijzen keek zij naar Dolf, die achter Leona de trap op liep.

'Wat moet dat beest in ons huis?' riep ze.

Bregje bleef halverwege de trap staan.

'Leona komt even naar mijn huisdier kijken, en ze heeft Dolf meegenomen. Ze blijven heus niet lang.'

Bregjes moeder fronste haar wenkbrauwen.

'Die hagedis? Heb je dat beest nog steeds dan!'

Bregje knikte.

'Nou, vooruit dan. Maar zorg dat die hond geen haar verliest op onze dure vloerbedekking!'

'Een hagedis!' zei Leona, toen ze voor Bregjes kamer stonden.

'Pas maar op dat Dolf hem niet per ongeluk opeet. Ik heb je gewaarschuwd hoor.'

Dolf snuffelde aan de deur en begon te likkebaarden.

Bregje duwde de deur open.

'Kom maar binnen.'

Meteen stormde Dolf de kamer binnen en hijgend keek hij om zich heen.

Leona keek ook nieuwsgierig rond in Bregjes kamer, terwijl Bregje de deur achter hen dichttrok.

'Nou, waar is die hagedis van jou? Is hij zo

klein dat we een vergrootglas nodig hebben?'
Bregje leunde tegen de muur en zei zachtjes:
'Gilbert, kom eens te voorschijn.'
'Gilbert!' giechelde Leona.
'Wat een naam! Echt een naam voor een
piepklein, haarloos beestje.'
Het bed van Bregje trilde even en toen kwam
Gilbert te voorschijn.
Altijd als hij Bregjes stem hoorde, was hij
dolgelukkig.
Hij sperde dan zijn bek wijd open.
Ook nu kroop hij met een gelukkige glimlach
onder het bed uit.
Zijn geschubde staart zwiepte van blijdschap
over de grond.
'Dag Gilbert,' zei Bregje.
Leona zei helemaal niets.
Haar mond was opengezakt.
Het leek of ze helemaal verstijfd was.
Haar gezicht zag er uit alsof het in een emmer
witkalk gestopt was.
Niets aan haar bewoog, alleen verscheen er een
donkere vlek op haar broek, die langzaam
groter werd.
Dolf stond een poosje doodstil naar de
opengesperde bek van Gilbert te kijken.
Daarin blonken een stuk of honderd scherpe
tanden.
Heel langzaam draaide Dolf zich om, op zijn
tenen.

Hij hijgde niet meer, hij hield zijn adem in.
De zwarte stippen op zijn lijf werden grijs.
Hij ging op de grond liggen en probeerde zich
zo plat te maken, dat hij als een krant onder de
deur kon schuiven. Het lukte niet.
'Gezien?' zei Bregje en ze duwde de deur van
haar kamer open.
Dolf sprong naar buiten en ook Leona kwam
plotseling tot leven.
Als een bliksemstraal schoot ze langs Bregje de
kamer uit.
Voor Bregje bij de trap was, sloeg de voordeur
al met een klap dicht.
Bregjes moeder stond bij de kapstok met de
stofzuiger.
'Zijn ze al weg? Mooi zo,' zei ze.
Bregje grinnikte. 'Ik zei toch dat ze niet lang
zouden blijven.'

47

12. Moordenaar

Bregjes vader kwam 's avonds pas laat thuis.
Hij zag er erg tevreden uit.
'Waarom glunder je zo?' vroeg Bregjes moeder.
'Sinds oma bij ons inwoont, heb ik je nog nooit
zo vrolijk zien kijken.'
Bregje stond in de keuken en propte stiekem
bananen en blikjes tonijn onder haar trui.
Soms kreeg Gilbert 's avonds honger.
Larven en krekels waren niet meer genoeg.
Bregjes vader zette een schoenendoos op tafel.
'Raad eens wat hier in zit?'
Bregjes moeder trok met een felpaarse
lippenstift een streep over haar bovenlip.
Ze bekeek zichzelf in de spiegel.
'Laat me raden,' zei ze.
'Het is een schoenendoos. Jij hebt een
schoenenwinkel. Er zullen dus wel geen
roomsoezen in die doos zitten.'
'Goed geraden, mijn kersentaart,' riep Bregjes
vader.
'Er zitten schoenen in. Heel bijzondere
schoenen.'
Bregjes moeder keek hem boos aan.
'Vind jij dat ik op een taart lijk?'
'Wat? Nee hoor. Een klein beetje maar.
Ik ben trouwens dol op kersentaart.'
Bregjes moeder giechelde gevleid.

Vader pakte het deksel van de doos en haalde er
een glanzend paar schoenen uit.
'Zie je dit,' zei hij. 'Dit zijn pas prachtige
schoenen. Alleen verkrijgbaar bij de betere
schoenenhandel, bij mij dus.'
Hij bedoelt de betere afgekeurde handel, dacht
Bregje.
'Wat is er zo bijzonder aan, schat?' vroeg
Bregjes moeder.
Bregjes vader streek zijn haren naar achteren.
'Het leer! Deze schoenen zijn gemaakt van echt
krokodillenleer.'
Bregje kwam uit de keuken en keek vol
ongeloof naar de doos.
Misschien was er wel een familielid van Gilbert
in die schoenen verwerkt.

49

'Wat is er zo bijzonder aan krokodillenleer?'
vroeg Bregjes moeder.
'Dat zal ik je uitleggen,' zei Bregjes vader.
'Krokodillen zijn domme dieren. Ze laten zich
steeds maar vangen en doodschieten. Ze zijn
zo achterlijk dat ze bijna uitgestorven zijn.
Tegenwoordig worden die beesten beschermd.
Daardoor wordt het steeds moeilijker om aan
echte krokodillenleren schoenen te komen.'
Hij glimlachte en klopte zichzelf op de borst.
'Maar ik heb een leverancier gevonden, een
handige knaap. Die kan me net zoveel van deze
schoenen bezorgen als ik wil, zonder dat
iemand het merkt. En niet alleen schoenen,
maar ook riemen, tassen en koffers. Hij kent
wel een dozijn krokodillenstropers in verre
landen.'

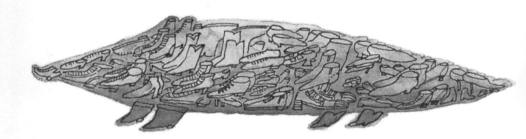

Er kwam een dromerige blik in zijn ogen.
'Dat wordt een gouden handel!'
Bregje keek haar vader met gloeiende ogen aan.
'Moordenaar!' schreeuwde ze.

Toen rende ze naar haar kamer.
Onderweg vielen bananen en blikjes tonijn
onder haar trui uit.
'Wat is er toch met dat kind?' zei Bregjes vader.
'De laatste tijd heeft ze elke avond een
berehonger, geloof ik. Moet je die blikjes zien!
En waarom zegt ze van die rare dingen?'
Hij schudde zijn hoofd en streelde de schoenen.
'Een gouden handel, wat ik je brom.'

13. Krokodillentranen

Bregje lag dwars over het bed en sliep onrustig.
Ze had zichzelf van woede in slaap gehuild.
Tegen Gilbert had ze niets gezegd over de
schoenen.
Ze wilde hem niet kwetsen, want hij was erg
gevoelig.
Gilbert merkte die nacht iets vreemds.
Hij snoof een geur op, die hem vaag bekend
voorkwam.
Die geur wilde maar niet verdwijnen.
Gilbert ging op onderzoek uit.
Hij kroop onder het bed uit en schuifelde naar
de overloop.
De geur kwam van beneden.
Moeizaam, tree voor tree, kroop Gilbert de trap
af.
Beneden in de hal werd de geur heel sterk.
Hij kwam bij de kapstok vandaan.
Nieuwsgierig schuifelde Gilbert ernaartoe.
Hij rook krokodil, daar raakte hij opgewonden
van.
Maar onder de kapstok stond alleen een paar
schoenen.
Gilbert snuffelde eraan.
Ze roken naar krokodil, maar ze leefden niet.
Er kwam een droevige blik in zijn ogen.
Hij legde zijn kop op de schoenen.

Uit zijn ogen stroomden krokodillentranen, die glinsterden in het maanlicht.
Opeens klonken er voetstappen op de trap.

Bregjes vader moest naar de wc.
Met zijn ogen nog halfdicht van de slaap waggelde hij de trap af.
Onder aan de trap bleef hij staan.
Hij kon niet geloven wat hij zag.
Onder de kapstok lag een krokodil van bijna twee meter met zijn kop op de krokodillenleren schoenen.
De krokodil huilde.
Bregjes vader schudde zijn hoofd om goed wakker te worden.
Hij kneep zijn ogen stijf dicht.

Toen hij weer keek, lag de krokodil er nog
steeds.
'Ik droom,' zei Bregjes vader hardop.
'Ik heb een nachtmerrie.'
De krokodil draaide zijn kop naar hem toe,
opende zijn bek en gromde.
In het maanlicht blonken zijn tanden.
Bregjes vader viel flauw.
Gilbert keek nog een keer treurig naar de
schoenen.
Daarna schuifelde hij naar Bregjes vader, die
bewusteloos in de hal lag.
Voorzichtig snuffelde Gilbert aan zijn armen en
benen en aan zijn gezicht.
Hij gromde een keer afkeurend en kroop over
Bregjes vader heen de trap op.

Een half uur later kwam Bregjes vader weer bij
bewustzijn.
Verdwaasd keek hij om zich heen.
Onder de kapstok stonden de dure schoenen in
het maanlicht.
Van een krokodil was geen spoor te bekennen.
Nog een beetje bibberend krabbelde Bregjes
vader overeind.
Ongelovig schudde hij zijn hoofd.
'Ik geloof dat ik slaapwandelde,' mompelde hij.
'Wat een vreselijke droom!'

14. Een paasei

De volgende morgen had Bregjes vader een
paarsblauwe buil op zijn voorhoofd.
'Ik denk dat ik het maar niet doe,' zei hij.
'Wat?' vroeg Bregjes moeder.
Ze was aan haar derde zachtgekookte ei bezig.
Bregje at een sneetje geroosterd brood.
Bregjes vader staarde glazig voor zich uit.
Hij had zijn ontbijt nog niet aangeraakt.
'Die schoenen van krokodillenleer.'
'Die gouden handel? Waarom niet?'
Bregjes vader zuchtte en raakte zijn buil aan.
'Au! Ik krijg er nachtmerries van. Vannacht
dacht ik dat er een krokodil in de hal lag. Een
afschrikwekkend monster. Wel vier meter lang.
Hij lag te huilen op de schoenen van
krokodillenleer. Van schrik ben ik van de trap
gevallen. Zoiets wil ik niet nog een keer
meemaken.'
Verschrikt keek Bregje op.
Ze begreep meteen wat er gebeurd moest zijn:
Gilbert was de kamer uit geweest.
Daar had ze niets van gemerkt.
Bregjes moeder klopte vader op zijn hand.
'Jij bent ook zo'n gevoelige man,' zei ze.
Bregjes vader schudde zijn hoofd en hij rilde.
'Het was afgrijselijk. Ik durf haast te zweren
dat dat monster echt was.'

Bregje hield haar handen voor haar gezicht om
niet hard te lachen.
Eigen schuld, dacht ze.
Oma kwam binnen en liep naar haar
schommelstoel.
Ze keek een poosje naar de paarsblauwe buil op
vaders voorhoofd.
'Ik lust ook wel een paasei,' zei ze.

15. Er is een krokodil in huis!

Toen Bregje naar school liep, vermoedde zij
niet dat er thuis iets onverwachts gebeurde.
Eénmaal per jaar had Bregjes moeder het te
pakken, het superstofzuigervirus.
Normaal stofzuigde ze alleen de woonkamer en
de hal.
Maar nu deed ze alles.
Ze stofzuigde het hele huis van onder tot boven.
Zelfs de plafonds en de muren.
Het was een of andere vreemde drang, die
opeens als jeuk bij haar opkwam.
Die drang was zo sterk, dat ze deze dag zelfs
vergat om te gaan winkelen.
Ze had alle kamers al gehad, alleen Bregjes
kamer nog niet.
Haar moeder opende de deur van Bregjes
kamer en reed de stofzuiger naar binnen.
Ze duwde de stekker in het stopcontact en
begon meteen alle hoeken te stofzuigen.
Daarna zoog ze onder het bureau en achter
Bregjes boekenkast.
Het ging goed.
Totdat Bregjes moeder de stofzuigerslang onder
het bed duwde.
Onder het bed lag Gilbert te slapen.
Hij werd wakker, toen de stofzuigerslang tegen
zijn snuit stootte.

Meteen klemde hij zijn kaken om de slang.
Hap!
'Wat is dat nu?' zei Bregjes moeder.
Ze kreeg opeens geen beweging meer in de
slang. Ze gaf er een ruk aan, maar de slang gaf
niet mee.
Bregjes moeder werd kwaad.
'Stom ding! Wil je wel eens luisteren!'
Uit alle macht rukte ze aan de slang.
Door het gebrom van de stofzuiger hoorde ze
het gegrom niet, dat onder het bed vandaan
kwam.

Met haar hele gewicht ging ze aan de
stofzuigerslang hangen.
Er kwam beweging in.
'Ha ha, denk maar niet dat je van mij kunt
winnen,' riep Bregjes moeder.
Beetje bij beetje trok ze de slang onder het bed
uit.
Tegelijk met de slang kwam Gilbert onder het
bed vandaan.
Zijn kaken zaten nog steeds als een bankschroef
om de slang.
De ogen van Bregjes moeder rolden bijna uit
haar hoofd van schrik, toen ze Gilbert zag.
En zelf rolde ze achterover, toen de slang
losschoot uit Gilberts kaken.
'Een krokodil,' riep Bregjes moeder.
'Help, er is een krokodil in huis! Hij wil me
opvreten!'

16. Dat monster moet weg!

Om vier uur kwam Bregje thuis uit school.
Ze maakte een kopje thee voor oma en voor
zichzelf.
Oma keek naar een cowboyfilm op de televisie.
'Kom op, geef ze ervan langs!' riep ze.
Bregje zette de thee voor haar neer.
'Nog iets gebeurd, oma?'
Oma keek opzij en glimlachte.
'Je moeder is vandaag niet gaan winkelen. Ze
had de stofzuigziekte,' zei ze en ze keek weer
naar de televisie.
'Zie je die kerel? Dat is Kid Kolen. Jandorie,
wat kan die vent schieten!'
Bregje was geschrokken.
'Waar is ze nu dan, oma? Ze is toch niet op
mijn kamer geweest?'
Oma haalde haar schouders op.
'Vanmiddag hoorde ik haar een keer gillen.
Maar daarna werd het lekker rustig en kon ik
op mijn gemak televisie kijken.'
Bregje dronk haar thee niet op en ging snel
naar boven.
Ze merkte meteen dat er iets aan de hand was.
De deur van haar kamer stond op een kier.
Toen ze naar binnen ging, vond ze daar de
stofzuiger.
Mama is op mijn kamer geweest, dacht Bregje
verschrikt.

Boven op de stofzuiger lag Gilbert.

Hij grijnsde blij, toen hij Bregje zag.

Bregje zag dat Gilbert ergens op kauwde.

'Waar kauw jij op, Gilbertje,' zei ze.

'Geef eens hier.'

Gilbert opende zijn bek en Bregje trok het fijngekauwde ding tussen zijn tanden uit.

Ze herkende het meteen.

Het was een slipper van haar moeder.

Bestraffend keek Bregje Gilbert aan.

'Foei, Gilbertje, jij hebt toch niet…'

Nee, dat is te gek om los te lopen, dacht Bregje.

Gilbert zou mama heus niet opeten. Hij houdt niet van vette hapjes.

Ze aaide de krokodil over zijn snuit.

'Waar is mama, Gilbert? Ben je van haar geschrokken?'

Gilbert zwiepte met zijn staart en beet Bregje liefkozend in haar arm.

'Straks gaan we spelen. Nu moet ik eerst mama zoeken.'

Ze liep de overloop op.

Eerst keek ze in de slaapkamer van haar ouders, maar daar was haar moeder niet.

Opeens hoorde ze een zacht gekreun in de kleerkast.

Bregje klopte op de deur van de kast.

'Mama, ben jij daar?'

Het gekreun werd luider.

Bregje trok de deur open en haar moeder rolde naar buiten.

Ze had zichzelf verstopt in de kast en daar een paar uur gezeten.

Met wilde ogen keek ze Bregje aan.

'Er zit een krokodil onder je bed,' hijgde ze.

'Een monster, hij wilde mij opvreten.'

Bregje schudde hard haar hoofd.

'Gilbert zal nooit iemand opeten, daar is hij veel te lief voor.'

Bregjes moeder keek haar verbijsterd aan.

'Wil jij zeggen dat dat beest van jou is?'

Bregje knikte. 'Hij komt uit het ei dat ik gewonnen heb.'

Bregjes moeder knipperde met haar ogen, toen schudde ze haar hoofd.

'Bedoel je die vieze, kleine hagedis?'

'Het was geen hagedis,' zei Bregje.

'Ik heb nooit gezegd dat het een hagedis was. Papa zei dat. En hij zei ook dat ik hem mocht houden.'

Bregjes moeder giechelde op een vreemde manier.

'Houden? Je bent gek. Dat beest moet eruit! Direct! Denk je dat ik met een krokodil onder één dak wil slapen.'

Ze stond op en liep snel naar de telefoon die op het nachtkastje stond.

'Wat ga je doen?' zei Bregje.

'Gilbert is van mij, hij is mijn beste vriend.'

Haar moeder pakte de hoorn van de haak.

'Niks mee te maken, dat monster moet weg.

Ik ga je vader bellen, nu!'

17. Mijn huisdier

Bregjes vader kwam meteen.
'Dus ik heb niet gedroomd,' zei hij.
'Waar is het gedrocht?'
'Boven, op Bregjes kamer,' zei moeder.
'Een krokodil in ons eigen knusse huisje. Oh,
schat, ik was zo bang. Ik geloof dat ik ga
flauwvallen. Vang me op.'
Ze viel naar voren.
'Straks,' zei Bregjes vader.
'Ik heb nu iets anders te doen.'
Hij stapte opzij en Bregjes moeder viel met een
dreun op het vloerkleed.
Oma keek verschrikt op.
'Lieve help, een aardbeving,' zei ze.
Bregjes vader greep de bezem en ging de trap
op. Zijn ogen schitterden op een merkwaardige
manier.
'Een krokodil in mijn eigen huis,' mompelde
hij.
'Wat een buitenkansje.'
In zijn hoofd broeide een sluw plannetje.

Voorzichtig duwde Bregjes vader de deur open
met de bezemsteel.
Bregje zat op haar bed.
Gilbert lag languit naast haar en Bregje had
haar armen om zijn hals geslagen.

Bregjes vader bleef op de drempel staan.
De bezem hield hij als een wapen voor zich uit.
'Dus het is echt waar!' zei hij.
'Zonder dat ik het wist, woonde er een krokodil
onder mijn dak. Dat had je wel eens mogen
zeggen.'
Bregje gaf geen antwoord.
Ze hield Gilbert stevig vast.
Bregjes vader nam de krokodil van neus tot
staart op.
Prachtig, die huid, dacht hij.
Zijn ogen glinsterden als opgepoetste euro's.
'Je begrijpt wel dat dat beest weg moet, kind.
Hij heeft mama bijna opgevreten.'
'Nietwaar! Gilbert doet geen vlieg kwaad.
Hij heeft alleen op mama's slipper gekauwd.'
Bregjes vader deed een stap naar voren.
'Het is een gevaarlijk monster, dat mensen
aanvalt. Hij mag niet levend rond blijven
lopen.'
Bregje sprong van het bed en spreidde haar
armen uit om Gilbert te beschermen.

'Nee, Gilbert is van mij, hij moet hier blijven.
Hij is mijn huisdier.'
'Geen haar op mijn hoofd dat eraan denkt,' riep
Bregjes vader.
'Ik ben hier de baas en jij doet wat ik zeg!'
Bregje werd echt boos.
Zo boos dat ze schreeuwde: 'Laat ons met rust.
En oma ook!'
Haar vader deed nog een stap naar voren.
Gilbert tilde zijn kop op en gromde.
Bregjes vader deed twee stappen naar achteren.
'Ook goed, ook goed.'
Zijn stem trilde.
'Ik bel de dierentuin wel, dat ze hem komen
halen.'
Gilbert sperde zijn kaken open en Bregjes
vader trok snel de deur dicht.
Bregje sloeg haar armen weer om Gilberts nek
en begon te huilen.
Maar opeens hield ze op en ze keek Gilbert
aan.
Haar ogen werden spleetjes, haar gezicht werd
knalrood.
Ze zag er uit of ze elk moment kon barsten…

18. Wij komen terug

Oma keek verwonderd op, toen Bregjes vader
de kamer in stormde.
Hij rende naar de telefoon en begon driftig te
bladeren in het telefoonboek.
Bregjes moeder zat op de bank met een bleek
gezicht te sniffen in een zakdoekje.
'O, schat, ik ben helemaal overstuur.
Kom je even bij me zitten om mij te troosten.'
Bregjes vader trok zijn stropdas los en greep de
hoorn.
'Ach mens, hou je mond. Ik heb iets
belangrijkers te doen. Zaken.'
Hij draaide het nummer van de dierentuin.
'Hallo, ik heb hier een levensgevaarlijke
krokodil in huis. Stuur onmiddellijk een paar
mensen om hem te vangen.'
'Heeft hij iemand aangevallen?' vroeg de man
aan de telefoon.
'Jazeker, hij heeft mijn vrouw bijna opgevreten.
Volgens mij is hij dol.'
Even was het stil aan de andere kant van de
lijn.
'Hoe komt u eigenlijk aan een krokodil?' vroeg
de man toen.
'Dat is een lang verhaal,' zei Bregjes vader.
'Voor ik dat verteld heb, zijn wij allemaal
opgevreten.'

'Goed, blijf uit zijn buurt, we zullen een paar mannetjes sturen.'

'Laat ze geweren meebrengen,' zei vader.

Hij legde de hoorn op de haak.

Met een tevreden gezicht draaide hij zich om.

'Dat is geregeld,' zei hij.

'Ze komen de krokodil halen en knallen hem neer. Ik laat hem villen. Ik wed dat er heel wat schoenen uit die huid gaan.'

Oma draaide zich om in haar schommelstoel en keek met een vreemde blik naar Bregjes vader.

Hij wilde nog iets zeggen, toen zag hij Bregje in de deuropening staan.

'Dat heb ik nou eens gehoord,' zei ze.

'Jij wilt Gilbert laten doodschieten om schoenen van hem te maken.'

Bregjes vader probeerde vriendelijk te glimlachen.

'Begrijp je dan niet dat dat het beste voor iedereen is, meisje?'

'Nee,' zei Bregje. 'Dat begrijp ik niet!'

Achter haar verscheen de kop van Gilbert.

Zijn kop kwam boven Bregjes schouders uit.

De rest van zijn lijf lag in de hal en zijn staart lag op de trap.

Hij was in één klap enorm groot geworden, groter dan een volwassen krokodil.

Bregjes gezicht was nog een beetje rood van het willen.

Haar vader schreeuwde van schrik.
Zijn verstand zei dat een krokodil van twee
meter onmogelijk binnen vijf minuten in zo'n
reuzenmonster kon veranderen.
Maar zijn ogen zagen dat het wel het geval was.
En ondertussen fluisterde zijn zakelijke gevoel,
dat dit beest een levende fabriek was.

Een wandelende schoenen-, tassen- en riemenleverancier.

Een goudmijn.

Alleen was het een goudmijn met wel honderd scherpe tanden en kiezen.

Haar vader sprong boven op de vensterbank en hield zich vast aan het gordijn.

Bregjes moeder dook weg achter de schommelstoel van oma.

'Laat dat beest niet de kamer in!' riep Bregjes vader met bibberende stem.

'Ik waarschuw je, Bregje.'

Bregje stapte naar binnen en Gilbert kwam achter haar aan.

In de gang bonkte zijn staart tegen de muren en de kapstok viel om.

Brokken kalk werden uit de muren geslagen.

Bregjes vader trok wit weg.

'Moeder, weg wezen. Dat kind is net zo gek geworden als haar oma. Ze luistert ook niet meer naar ons.'

Hij sprong over de bank en rende naar de keuken. Bregjes moeder kroop op handen en voeten achter hem aan.

'Bregje, luister naar je vader,' zei ze.

'Hij is een intelligente man en hij weet wat het beste is.'

'Kom je nog?' riep Bregjes vader bij de achterdeur.

Gilbert keek moeder aan en grijnsde.
Bregjes moeder vloog de keuken in.
'En oma?' zei ze tegen Bregjes vader.
'Die laten we ook meteen ophalen!' snauwde
hij.
Hij rukte de achterdeur open.
'Denk maar niet dat jij je zin krijgt,'
schreeuwde hij tegen Bregje.
'Wij komen terug, met versterking. Die
krokodil gaat eruit!'
De achterdeur smakte dicht.

19. Een fort

'Zo, die zijn weg,' zei oma.
Ze stapte uit haar schommelstoel en krabbelde
Gilbert onder zijn kin.
'Jandorie, jij bent een grote kerel geworden. En
jij hebt een ijzersterke wil, Bregje.'
Bregje zei niks en staarde naar de deur.
'Wat nu, oma? Straks komen ze terug met
mannen met geweren.'
Oma snoof en spuugde als een cowboy op de
grond.

'Laat ze maar komen. Pistolen Nellie wijkt niet voor boeventuig. Het wordt te gek! Ik moet eruit. De krokodil moet eruit. En ze willen hem villen.

Maar ik pik het niet meer. We gaan de rollen omdraaien. Zij komen er niet meer in!'

Ze stroopte haar mouwen op en liep naar de achterdeur.

Na een poosje kwam oma terug. Ze droeg een hamer, een zak met spijkers en een plank.

Bregje begreep er niets van. Wat ging oma doen?

Ze wist niet eens dat oma een plank kon dragen.

'Oma, wat gaat u doen?'

Oma zette de plank voor het raam.

Ze glimlachte.

'Ik timmer de hele boel dicht, zodat ze lekker niet binnen kunnen komen. Help eens even mee.'

Verbaasd deed Bregje wat oma zei en tilde de plank omhoog.

'Even houden zo, prima,' zei oma en stak een paar spijkers tussen haar lippen.

Ze timmerde de plank voor het raam vast.

'Ziezo, dat is één,' zei oma en ze knipoogde naar Bregje.

Nu begreep Bregje wat oma van plan was.

'Fantastisch, oma,' schreeuwde Bregje.

'We maken een fort van ons huis.'

'Precies,' zei oma. 'Net als de cowboys en de ridders. Ons krijgen ze zomaar niet.

We laten geen schoenen maken van die lieve krokodil. Over mijn lijk!'

'En over het mijne!' riep Bregje.

'Eén voor allen en allen voor één,' riep oma.

'O zo!' zei Bregje.

Het volgende uur waren Bregje en oma druk bezig, terwijl Gilbert in de hal rustig lag toe te kijken.

Ze sleepten het hout dat in de schuur lag naar de woonkamer.

Na een uur waren alle ramen met planken dichtgemaakt.

De deuren waren op slot, met kettingen en veiligheidssloten.

Bregjes vader had die sloten zelf erop gezet, tegen ongewenste indringers.

'Slim van hem,' zei oma.

'Ze komen nu goed van pas.'

Daarna schoven ze ook nog de tafel en alle stoelen en kasten voor de deuren.

'Dat is dat,' zei oma.

'Ze denken dat ik gek ben, ha! Dan kennen ze mij nog niet. Ik ben zo slim als een vos, zo taai als stopverf.'

Ze liep de keuken in en kwam terug met een vergiet op haar hoofd en een soeplepel in haar hand.

'Laat ze maar komen. Wij geven ze de volle laag.'

'Wat gaat u doen?' vroeg Bregje.

Oma glimlachte en wreef in haar handen.

'Een flinke pan soep maken.'

'Soep? Waarvoor?'

Oma zwaaide de soeplepel boven haar hoofd.

'Voor de vijand.'

Bregje staarde oma aan.

Op dat moment klonk er buiten een heleboel lawaai.

Oma liep zingend de keuken in.
Bregje rende naar het dichtgetimmerde
voorraam. Door een kier tussen de planken
keek ze naar buiten.
'Oh, Gilbert,' fluisterde ze.

20. Met een ladder

Er werd op de voordeur gebonkt.
'Bregje doe open!' riep haar vader door de
brievenbus.
'Wat is dat voor flauwekul. Waarom is alles
dicht?'
De sleutel knarste in het slot, maar de voordeur
bleef potdicht.
Even later werd er aan de achterdeur
gemorreld.
'Nu is het genoeg,' schreeuwde Bregjes vader
door de brievenbus.
'Maak onmiddellijk die deur open. Anders
moeten we geweld gebruiken.'
Bregje hield Gilbert stevig vast.
In de keuken stond oma vrolijk in een pan soep
te roeren.
Ze zong heel hard: 'Wij zijn twee eenzame
cowboys...'
'Wat spoken jullie daar binnen uit?' schreeuwde
Bregjes vader.
'Ga weg!' riep Bregje.
'Niemand neemt Gilbert mee, hij blijft bij mij.
En oma ook. Gaan jullie zelf maar in een
rusthuis wonen.'
Gilbert gromde naar de deur.
Even was het doodstil.
Toen klonk de stem van Bregjes moeder door
de brievenbus.

'Bregje, doe toch open kindje. Luister nou naar je vader. Hij wil alleen maar het beste voor jou.'

Er klonk een geweldige dreun tegen de deur.

'Au, mijn schouder,' schreeuwde Bregjes vader.

'Oei, deed het pijn, schat?' vroeg Bregjes moeder.

'Dat rotkind!'

Toen werd het stil.

De stilte duurde een beetje te lang voor Bregje.

Wat zijn ze van plan, dacht ze.

Ze stond op en liep naar het voorraam.

Door een kier tussen de planken gluurde ze naar buiten.

Op het grasveld stond een wagen van de dierentuin met een grote kooi.

In de straat stonden politiewagens en een brandweerwagen.

Brandweermannen reden een uitschuifbare ladder naar het huis toe.

Ze zetten hem tegen de voorgevel.

Toen kwamen mannen van de dierentuin in groene overalls met een reusachtig vangnet.

Een van hen had een geweer bij zich.

Het leek groot genoeg om een olifant mee dood te schieten.

Steeds meer mensen kwamen kijken wat er ging gebeuren.

Bregje verbleekte en rende naar de keuken.

'Oma,' riep ze.
'Ze komen met een ladder. Ze willen boven
door het raam komen, met geweren en
vangnetten.'
Glimlachend draaide oma zich om.
'Dat komt mooi uit,' zei ze.
'De soep is net klaar.'

21. Soep

Op het fornuis stond een grote pan met soep.
'Oma, voor wie is die soep?' zei Bregje.
'Voor de vijand. Ik heb heus wel wat geleerd
van die ridderfilms. Help me de pan naar boven
dragen.'
Bregje begreep er niets van.
Buiten klonk een luid gebonk.
De groene mannen van de dierentuin klommen
op de ladder.
'Kom op,' zei oma.

Bregje pakte de pan aan een handvat beet.
'Gilbert, blijf hier,' zei ze.
Gilbert bleef braaf op zijn plaats.
Hij kon zich toch moeilijk verroeren.
Zijn kop en voorpoten lagen op de bank in de woonkamer.
De rest van zijn lijf lag in de hal.
Ze klommen over Gilbert heen en droegen de pan naar boven.
Bregje was verbaasd dat oma zomaar de trap op kon.
Vroeger deed ze dat nooit.
'Vlug, naar de voorkamer,' zei oma.
Ze liepen de kamer binnen.
Door het raam zagen ze de bovenkant van de ladder al.
Hij stak boven de vensterbank uit.
Twee groene mannen klommen op de ladder.
Onderaan stond Bregjes vader met een boos gezicht.
Haar moeder keek zorgelijk omhoog.
'Niet met jullie vieze laarzen op het bed lopen,' zei ze.
De mannen waren al halverwege de ladder.
Vol spanning keken de toeschouwers in de straat naar boven.
'Let op,' zei oma en ze deed het raam open.
De pan met soep stond op de vensterbank.
Het was een smakelijke groentesoep.

Alles zat erin: vermicelli, groenten, uien, gehaktballetjes.
Oma maakte het venster open.
'Halt!' riep ze.
'Geen stap verder, of jullie krijgen soep.'
De mannen keken verbaasd omhoog.
'Let niet op haar,' brulde Bregjes vader.
'Die ouwe is zo gek als een deur. Volgens mij speelt ze onder één hoedje met die krokodil. Jullie mogen haar ook meteen meenemen.'
De groene mannen haalden hun schouders op en klommen verder omhoog.
Oma keek Bregje met glinsterende ogen aan.
'Oke. We hebben ze gewaarschuwd. In ridderfilms doen ze dit soort dingen altijd. Vuur!'
Tegelijk keerden Bregje en oma de pan om.
De mannen schreeuwden, maar het was al te laat.
De hete soep plensde op hen neer.
Soep stroomde over hun gezichten, in hun halzen.
Gillend glibberden ze de ladder af.
Het grote vangnet viel boven op hen.
Het geweer viel op de grond en ging met een knal af.
De knal was zo hard, dat Bregjes vader en moeder van schrik plat op de grond neerdoken.

De groene mannen kropen terug naar hun
wagen, verstrikt in het vangnet.
Onder het net zagen ze er uit als twee groene
krokodillen.
De toeschouwers barstten in een luid gejuich
uit.
Ze joelden en ze klapten.
Oma sloot het raam en maakte een
vreugdedans.
'Jandorie, zag je dat Bregje. Ridders doen het
met kokende olie, maar wij doen het met soep!
De eerste ronde is voor ons.'

22. Twee nul

Bregje keek omlaag.
De vijand gaf nog niet op.
Nu klommen er twee brandweermannen met
blinkende helmen de ladder op.
Ze droegen brandslangen en hadden speciale
pakken aan.
Zij waren niet bang voor soep.
Dreigend hielden ze de brandslangen voor zich
uit.
'Ze willen ons neerspuiten!' riep oma.
'Maar dat zal ze niet glad zitten. Vlug, haal de
bezem.'
Bregje rende de trap af en kwam even later
terug met de bezem.
Voor het raam verscheen de helm van een
brandweerman.
'Laat ons binnen, mevrouwtje,' zei hij.
'We zullen u niets doen. We willen alleen dat
levensgevaarlijke beest vangen.'
Oma knikte naar de brandweerman.
'Een aardige jongeman, die spuitgast,' zei ze
tegen Bregje.
'Jammer dat hij bij de vijand hoort. Nu moet ik
hem in het stof laten bijten.'
'Laat ons erin,' riep de brandweerman.
'Anders zetten wij de kraan aan.'
Oma zwaaide naar de man en maakte het raam
open.

Ze zette de bezem tegen de ladder en duwde,
net op het moment dat de slang begon te
spuiten.
Met verschrikte ogen keek de brandweerman
omlaag.
Onder hem kantelde de grond opeens.
Langzaam helde de ladder achterover, terwijl
een straal water de lucht in spoot.
De andere brandweerman liet zich gauw langs
de zijkanten naar beneden glijden.
Maar de bovenste brandweerman kon niet meer
omlaag.
Hij liet de brandslang los en klampte zich
angstig aan de ladder vast. Zijn benen
bengelden in de lucht.
Oma glimlachte vriendelijk naar hem en gaf de
ladder nog een zetje met de bezem.
Dat was voldoende.
De ladder klapte nu helemaal achterover en met
een luide kreet viel de brandweerman op de
wagen van de dierentuin, midden in de kooi.
De brandslangen lagen kronkelend op de grond
en spoten in alle richtingen.
Bregjes vader werd ondersteboven gespoten
door de straal en rolde kliedernat over het
veld.
Bregjes moeder glibberde over het gras en
maakte dat ze wegkwam.
Het publiek werd helemaal wild.

Ze lachten, ze gilden, ze juichten en ze stampten.

Oma hield haar handen boven haar hoofd, alsof ze de elfstedentocht gewonnen had.

Tussen al die mensen zag Bregje ook Leona met Dolf.

Leona juichte en stampte net zo hard als de rest.

En Dolf blafte luidkeels mee.

Bregjes vader stampte ook. Van woede, boven op de brandslang.

Oma gaf Bregje een vette knipoog.

'Twee nul voor ons!'

23. Ik weet wat ik wil

Beneden in de hal maakte Gilbert een klagend
geluid.
'Arme Gilbert, hij voelt zich alleen,' riep
Bregje. 'Ik moet naar hem toe.'
Ze keek naar buiten.
De politiemensen hadden het druk met het
regelen van het verkeer.
In de straat was een grote opstopping ontstaan
van auto's en bussen.
Mensen hingen met camera's uit de ramen.
IJscomannen en worstjesverkopers deden goede
zaken.

Er was zelfs een cameraploeg van de televisie
verschenen, die Bregjes vader interviewde.
'Laten we maar even pauzeren,' zei oma.
'Voorlopig hebben we de vijand afgeslagen.'

Ze sloot het raam en klapte in haar handen.
'Jandorie, ik heb me nog nooit van mijn leven
zo vermaakt! Ik kan nog flink van me afbijten,
zelfs zonder tanden. Dat hadden ze beslist niet
verwacht.'
Bregje giechelde.
'Met u kunnen ze beter geen ruzie krijgen,
oma. U bent een ridder en een cowboy tegelijk.'
Grinnikend liep oma achter Bregje aan de trap
af.
Bregje stond nog steeds versteld van haar. Oma
was een heel andere oma geworden, dan de
oma die ze altijd gekend had.
Ze sjouwde planken, timmerde, smeet met
soep, duwde brandweermannen van ladders, en
ze kon zelfs traplopen.
Door de strijd was ze helemaal opgebloeid.
Het leek wel of ze hier altijd naar had
uitgekeken.
Maar Bregje maakte zich zorgen.
Diep van binnen vond ze het vreselijk wat er
gebeurde.
Liefkozend sloeg ze haar armen om Gilberts
nek.
'Hoe lang houden we dit vol, Gilbert? Buiten
zijn mannen van de dierentuin,
brandweermannen en politieagenten. Straks
sturen ze een tank op ons af om de deur plat te
walsen. Wat dan, Gilbert? Zelfs oma kan geen

tank tegenhouden. Al denkt ze zelf misschien
van wel.'
Gilbert zei niets, hij wist het ook niet.
Alles wat hij wilde, was bij Bregje zijn.
Hij was alleen maar een uit zijn krachten
gegroeid babykrokodilletje van nog geen drie
maanden oud.
O zo zachtjes beet hij in Bregjes hand.
Oma klom over Gilbert heen.
Ze had een kist met aardappelen uit de kelder
gehaald.
'Kijk eens wat ik hier heb!' riep ze.
'Hiermee kunnen we ze bekogelen, als ze weer
komen.'

Bregje glimlachte treurig.

Aardappelen tegen geweren.

Stel je voor dat ze echt gingen schieten.

Stel je voor dat Gilbert, of oma geraakt werd!

Bregje schudde haar hoofd.

Dat mocht niet gebeuren.

Dit was een regelrechte oorlog en oorlog was nog erger dan de mazelen en waterpokken en kiespijn bij elkaar.

Alles wat ze wilde, was dat Gilbert bij haar zou blijven.

WILLEN! dacht Bregje. Maar wat moet ik nu precies willen?

Papa zou nooit toegeven, dat wist ze zeker.

In de keuken was oma fluitend messen aan het slijpen.

Bregje gluurde door de kier tussen de planken naar buiten.

Haar vader stond nog steeds te praten met iemand van de televisie.

Met grote gebaren wees hij telkens naar het huis.

Bregjes moeder stond te lachen en te knikken.

Ze zijn trots dat ze op de televisie komen! dacht Bregje.

Toen zag ze achter haar ouders een ander gezicht in de mensenmassa. Het gezicht van de aardige, oude postbode.

Hoewel hij Bregje niet kon zien, leek het of hij naar haar glimlachte.

Hij stak zelfs zijn hand op.
En opeens wist Bregje wat ze eigenlijk wilde.
Ze wilde helemaal niet meer in dit huis wonen.
Zij wilde alleen maar bij Gilbert en bij oma
blijven.
Dat wilde ze met hart en ziel, met huid en haar,
met heel haar hebben en houden.
Dit huis was helemaal niet fijn en bovendien
was het veel te klein voor Gilbert.
'Gilbert, ik weet het! Ik weet wat ik wil,' zei ze.
'En ik weet zeker dat oma ook wil wat ik wil.'

24. Levensgevaarlijk

Buiten op het veld praatte Bregjes vader nog
steeds met de man van de televisie.
'Dus volgens u is die krokodil echt
levensgevaarlijk?' zei de man.
Bregjes vader streek zijn haar naar achteren.
Hij lachte tegen de camera.

'Absoluut! Mijn vrouw heeft dat aan den lijve
ondervonden. Het scheelde niet veel of hij had
haar been eraf gekauwd. Om nog maar te
zwijgen van de rest!'
Bregjes moeder stapte naar voren en knipperde
met haar ogen voor de camera.
'Ze is een prachtvrouw, zoals u ziet en ik heb
met plezier mijn leven voor haar gewaagd.'
Bregjes vader klopte zichzelf op de borst.
'Ik, meneer, heb in de muil van het monster
gekeken. En daar zag ik niets dan dood en
verderf!'

Hij pauzeerde even als een echte toneelspeler
en keek recht in de camera.
'Ik zal niet rusten, voor de huid van dat
monster boven mijn schoorsteenmantel hangt.'

'Maar schat, ik dacht dat je er schoenen van
wilde maken,' zei Bregjes moeder.
'Au!' gilde ze en wreef haar enkel op de plek
waar Bregjes vader haar geraakt had.
'Maar waarom heeft uw dochtertje zich met
haar oma in het huis opgesloten?' vroeg de
televisieman.
'Is zij niet bang voor die levensgevaarlijke
krokodil? Dat is een vraag waarop onze kijkers
graag het antwoord horen.'
'Omdat...' zei Bregjes vader, 'omdat...'
Hij kreeg een knalrood hoofd en stootte Bregjes
moeder aan.
'Zeg jij dan ook eens wat!' snauwde hij.
Op dat moment kwam er een politieagent
aanlopen.
Hij droeg een pet en een zonnebril en kauwde
kauwgom.
In zijn riem zat een grote revolver.
'Meneer, het duurt te lang,' zei hij. 'We gaan nu
het huis bestormen. Als we langer wachten,
zitten de oude vrouw en het kind dadelijk in de
maag van het beest.'
Politieagenten stelden zich op in een lange rij
voor het huis.
Achter hen stonden de brandweermannen.
Ze hielden hun brandslangen gereed.
De groene mannen hadden zich inmiddels uit
het vangnet bevrijd.

'Iedereen klaar?' riep de politiechef.

Alle toeschouwers zwegen en hielden hun adem in.

De politieagenten trokken hun revolvers.

Plotseling ging er een luide zucht door het publiek.

De televisiecamera zwenkte naar het huis.

Langzaam ging de voordeur open.

25. Ik kom niet meer thuis

Alle ogen waren op de voordeur gericht.
Daar verscheen de kop van Gilbert.
Hij keek nieuwsgierig, met een vriendelijke
blik om zich heen.
Langzaam kroop hij naar buiten.
'Daar is hij, knal hem neer!' schreeuwde
Bregjes vader.
'Wacht, wacht, niet schieten!' schreeuwde de
politiechef.
Kreten van ongeloof gingen door het publiek,
terwijl Gilbert langzaam verder naar buiten
kroop.
Niemand had ooit zo'n grote krokodil gezien.

Zijn dikke, kromme voorpoten bewogen traag
over het grasveld en zijn staart sleepte in een
zwiepende beweging achter hem aan.
Op zijn rug zaten oma en Bregje.
Het was een merkwaardig gezicht, die
reusachtige krokodil, met op zijn rug een klein
meisje en een broos, oud vrouwtje.
De toeschouwers begonnen zachtjes te
mompelen.
'Schiet dan toch,' riep Bregjes vader. 'Ik wil de
huid van dat monster.'

Bregjes moeder keek een beetje bedenkelijk.
'Is dat niet gevaarlijk, schat?
Ik bedoel, Bregje en oma zitten op zijn rug.
Stel je voor dat ze de verkeerde neerschieten.'
'Zeur niet,' riep Bregjes vader. 'Die lui zijn
scherpschutters. Ze zullen Bregje heus niet
raken. En oma...'
Maar niemand luisterde naar hem.
De televisiecamera probeerde de krokodil en
zijn passagiers zo goed mogelijk in beeld te
brengen.
De politieagenten lieten hun revolvers zakken.
De brandweermannen gooiden hun slangen
neer.
Bregje keek strak voor zich uit en streelde
Gilbert over zijn kop.
Oma zat achter Bregje.
Ze keek strijdlustig om zich heen en zwaaide
met de soeplepel.
Op haar hoofd stond nog steeds het vergiet.
Alle ogen volgden Gilbert, die rustig over het
grasveld schuifelde.
Hij kroop naar de wagen van de dierentuin.
Het rumoer onder de toeschouwers werd steeds
luider.
Ergens begon iemand te klappen.
Zonder op te kijken, wist Bregje dat het de
aardige postbode was.
Iemand anders volgde zijn voorbeeld, steeds

meer mensen begonnen te klappen.

Toen Gilbert de wagen van de dierentuin
bereikte, galmde een daverend applaus door de
lucht.

De straat leek op een voetbalstadion, waar
zojuist een schitterend doelpunt gescoord was.

Gilbert had de wagen van de dierentuin bereikt
en stopte.

De groene mannen keken een beetje angstig
naar oma.

Ze waren de soep nog niet vergeten.

'Jandorie, maak die kooi open,' riep oma,
wijzend met haar soeplepel. 'En gooi de
loopplank uit.'

'Ja, mevrouw.' De groene mannen renden naar
de achterkant van de wagen en schoven een
brede plank naar buiten.

Gilbert snuffelde aan de loopplank en zette
voorzichtig een voorpoot erop.

Langzaam, onder aanmoedigingen van de
toeschouwers, schuifelde Gilbert als een
koorddanser over de loopplank de kooi in.

Op dat moment kwam Bregjes vader aanhollen.

'Bregje, ongehoorzaam kind. Reken maar dat jij
een flink pak slaag krijgt, als je thuiskomt.'

'Boe! Boe!' riepen de toeschouwers.

Gilbert draaide zijn kop naar Bregjes vader.

In zijn ogen bliksemde woede en hij opende
zijn muil wagenwijd.

Toen gromde hij zo hard, dat de grond beefde.
Bregjes vader sprong een meter achteruit en
viel tegen Bregjes moeder aan, zodat ze allebei
op de grond belandden.
Bregje glimlachte alleen maar.
'Maak je geen zorgen, papa. Ik kom niet meer
thuis.'
Oma grinnikte en stak haar tong uit naar
Bregjes vader.
'En over oma hoef je je ook niet meer druk te
maken,' zei Bregje.
'Oma en ik gaan namelijk bij Gilbert wonen.
In de dierentuin.'
Gilbert vouwde zijn staart naar binnen en de
kooi viel met een klap dicht.

26. Een mooie dag

De dierentuin was dolblij met zijn nieuwe
aanwinst.
Uit alle hoeken van het land stroomden
bezoekers toe om de reuzenkrokodil te zien.
Speciaal voor Gilbert was er een nieuw verblijf
gebouwd.
Er was een grote vijver, waar Gilbert uren
doodstil in kon drijven.
Rondom het water was een modderbank, waar
Gilbert naar hartelust in kon rollen.
Ook was er een brede strook land aangelegd,
waarop tropische bomen en planten groeiden.
Het was een echt stukje oerwoud.
Als je goed keek, zag je dat er tussen de
planten een grot stond.
Toeristen bleven vaak urenlang over de
omheining hangen.
Als ze geduld hadden, zagen ze soms een klein
meisje uit de grot komen.
Ze droeg een jurk, die helemaal bestond uit
takken en bladeren.
En in haar haar zaten witte bloemen.
Minstens eenmaal per dag klom ze op de rug
van de krokodil en zwom dan met hem een
rondje.
Vaak sloeg ze haar armen om zijn nek en ze gaf
hem ook veel kusjes.

Alle toeschouwers durfden dan te zweren dat de
krokodil gelukkig lachte en er werden
duizenden foto's van het tafereel gemaakt.
Meestal tegen etenstijd kwam een oud vrouwtje
de grot uit gewandeld.
Ook zij was gekleed in een bladerpak. Soms
droeg ze een vergiet op haar hoofd, soms een
krans van witte bloemen.
Ze maakte een kampvuur en zette er een grote
soeppan op.
Ze scheen erg veel plezier te hebben, want
meestal zong ze heel hard en heel vals
cowboyliederen.

Als het eten klaar was, aten de oude vrouw, het meisje en de krokodil samen voor de grot uit één pan.

Ze zagen er alle drie zo gelukkig uit, dat veel mensen jaloers op hen werden.

Bregjes vader en moeder hingen met hun ellebogen op de omheining.

Bregjes vader had tranen in zijn ogen.

'Moet je zien wat een prachtige huid,' zei hij.

'En dan te bedenken dat die van mij had kunnen zijn.'

Bregjes moeder had ook tranen in haar ogen.

Op haar hoofd stond een kolossale hoed, versierd met plastic uien.

'Het is allemaal jouw schuld,' zei ze.

'Jij wilde zo nodig oma het huis uit werken. En jij moest doordrammen over die schoenen. Nu heb ik helemaal niets meer. En wie moet er nu voor ons zorgen als wij oud zijn?'

'Oh, dus het is mijn schuld. Jij wilde nooit een huisdier omdat jij griezelt van haren.

Ik word doodziek van jou en van die stomme hoeden, die je altijd koopt.'

'Oh ja,' zei Bregjes moeder. 'Oh ja?'

Ze trok een van haar schoenen uit en zwaaide ermee boven haar hoofd.

Bregjes vader werd wit om zijn neus.

'Schat... niet doen...'

'Jij houdt toch zo van schoenen,' schreeuwde
Bregjes moeder.
'Hier heb je een schoen!'
Voor hij kon wegduiken, kreeg Bregjes vader
een klap op zijn kop met een punthak.
'Hier! En hier!'
Met zijn armen boven zijn hoofd vluchtte
Bregjes vader weg.
'Wacht, ik heb nog een schoen!' riep Bregjes
moeder en zette de achtervolging in op haar
kousen.
Schreeuwend en scheldend verdween het
tweetal uit de dierentuin.
Andere bezoekers keken hen verbaasd na.
Maar niemand liet zijn goede zin bederven,
want in de grote vijver gaf Bregje Gilbert juist
een kusje op zijn snuit.
Het was een mooie dag.

Website: www.paulvanloon.nl

Paul van Loon

Dolfje Weerwolfje

Als Dolfje wakker wordt, is het donker. De maan schijnt
in zijn kamer. Het is een bijzondere nacht.

Zeven, denkt Dolfje. Eindelijk ben ik zeven jaar.

Dan schrikt hij zich rot. Hij ziet opeens overal haar.

Zijn handen en voeten zijn poten geworden. En hij heeft
een staart. Dan komt Timmie binnen.

'Ik wil dit niet,' gromt Dolfje.

'Misschien gaat het vanzelf wel over,' zegt Timmie.

'Ja, jij hebt makkelijk praten,' gromt Dolfje. 'En als het
niet overgaat? Wat dan?'

Paul van Loon

Meester Kikker

'Soms ben ik een kikker. Dat is mijn supergeheim.
Niemand mag het weten, behalve jullie.'
Eerst denken de kinderen dat hun meester een grap
maakt. Dat doet hij wel vaker.
Maar op een dag komt hij de klas in met kroos in zijn haar
en natte, gescheurde kleren. Hij stinkt als een oude mod-
dersloot en ziet er erg geschrokken uit.
'Ik ben aangevallen door een ooievaar,' zegt de meester.
'Bijna was ik opgeslokt door de ergste nachtmerrie van
elke kikker.' Nu moet de klas wel iets doen. Want dit is
toch geen grap meer...